janvier 2011 13$

Le monde merveilleux en photos

LES HÉLICOPTÈRES

Le monde merveilleux en photos

LES HÉLICOPTÈRES

Piccolia

5, rue d'Alembert
91240 Saint-Michel-Sur-Orge
Dépôt légal : 3ème trimestre 2009
Loi n°49-956 du 16 juillet 1949 sur les publications
destinées à la jeunesse.
Imprimé à Singapour.

On suppose que Léonard de Vinci a été le premier homme à penser que l'hélicoptère serait capable de transporter un homme dans les airs. Mais, à cette époque (vers 1500), il n'en fit que des maquettes.

Ce n'est qu'en 1936 que deux Français inventèrent le premier hélicoptère volant. Ils réussirent à rester en l'air près de 1h20 et parcoururent une distance de 44 km. Plus tard dans la même année, un Allemand mit au point le Focke 61, un appareil plus performant qui pulvérisa ce record. Aujourd'hui, l'hélicoptère est utilisé pour ses performances et son côté pratique. Alors, comment fonctionne-t-il ? Qui l'utilise ? Pourquoi se sert-on de cet appareil et non d'un avion par exemple ?

Tu trouveras toutes ces réponses dans ce livre !

Pour voler, le moteur
de l'hélicoptère
fait tourner à toute
vitesse le rotor
principal (longues
pales en forme
d'ailes étroites)
mais aussi...

RESCUE
SAUVETAGE

DANGER

... un petit rotor (appelé anticouple) situé sur la queue. Ce dernier, en tournant dans le sens opposé du rotor principal, permet de stabiliser l'appareil.

La plupart des hélicoptères sont munis de patins en dessous de l'habitacle, mais certains ont des roues et d'autres des flotteurs, pour se poser sur l'eau !

Pendant toute la durée du vol, le pilote est en contact radio permanent avec la base pour recevoir ou donner des informations.

J2 09-27 CAT I/II/III
09-27 CAT I/II/III J2

Voilà tous les instruments que l'on trouve dans un poste de pilotage d'hélicoptère… Rien à voir avec ceux d'une voiture, tu ne trouves pas ?

Il est vrai que manœuvrer un hélicoptère n'est pas chose facile. Non seulement le pilote doit utiliser ses deux mains pour pousser ou tirer des leviers mais il a aussi besoin de ses deux pieds pour actionner des pédales. De plus, il doit être très attentif à toutes les informations que lui indiquent les cadrans face à lui (altitude, niveau d'essence, position...). Sans compter qu'en même temps, il doit écouter ou parler à la radio !

NORTHWEST
MEDST★R

Dans les airs, la vitesse de croisière d'un hélicoptère est de 160 à 210 km/h !

Comme les libellules, les hélicoptères peuvent faire du surplace dans les airs ! On appelle cela le vol stationnaire.

Contrairement aux avions, les hélicoptères n'ont pas besoin d'une grande piste pour atterrir ou décoller car ils peuvent le faire à la verticale : un bout de terrain de la taille de l'engin suffit ! Hormis le vol stationnaire, les hélicoptères sont également capables de se déplacer lentement dans toutes les directions : en avant, en haut, en bas mais aussi en arrière et sur les côtés...

... C'est pourquoi
cet aéronef est utilisé
pour différentes
missions de
sauvetage. Il peut
se poser sur un
toit, sur une route,
sur la neige ou
sur le sable !

De plus, il peut
survoler les villes
sans se soucier des
embouteillages,
traverser les fleuves
ou se poser sur
une petite île,
par exemple.

On se sert des hélicoptères pour secourir des personnes dans des endroits où aucun autre véhicule ne peut circuler, comme ici en montagne !

1234

Warwickshire & Northamptonshire
AIR AMBULANCE
in association with
?

L'hélicoptère-ambulance est équipé pour donner les premiers soins à un blessé, le temps de l'emmener à l'hôpital le plus proche.

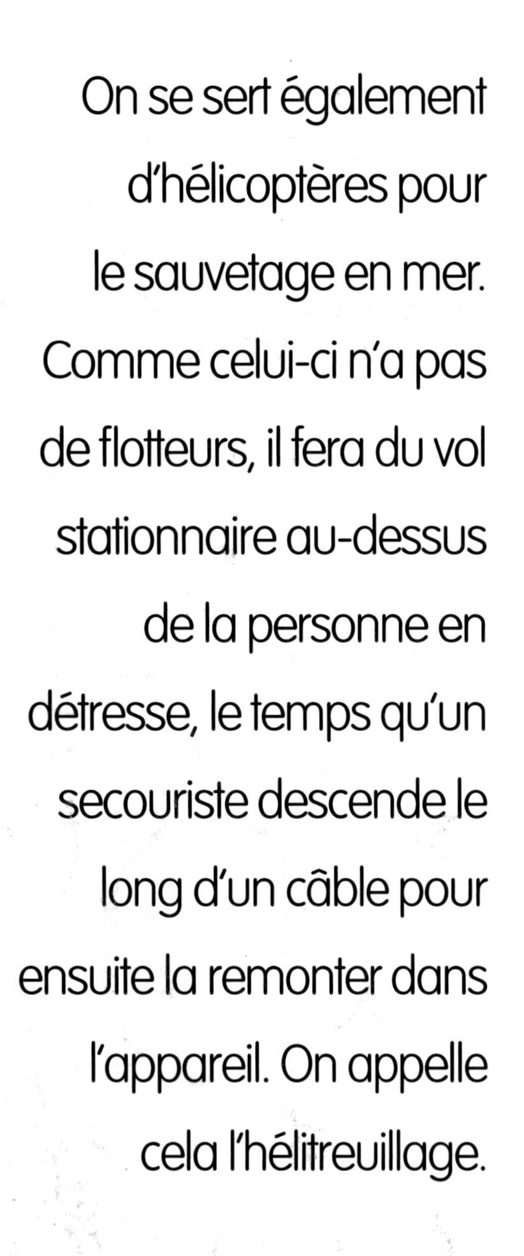

On se sert également d'hélicoptères pour le sauvetage en mer. Comme celui-ci n'a pas de flotteurs, il fera du vol stationnaire au-dessus de la personne en détresse, le temps qu'un secouriste descende le long d'un câble pour ensuite la remonter dans l'appareil. On appelle cela l'hélitreuillage.

Garda Cósta na hÉireann
IRISH COAST GUARD
RESCUE
RESCUE
EI-RCG

AIR RESCUE

L'hélicoptère bombardier d'eau est utilisé pour éteindre les incendies de forêts. Ceux-ci ont au bout d'une corde un seau...

... mais d'autres sont munis de réservoirs. Pour s'approvisionner en eau, l'appareil se met en vol stationnaire au-dessus d'un lac ou d'une piscine. Par le biais d'un tuyau, il pompe l'eau pour la larguer ensuite sur le feu.

N498DF
CDF
406

POLICE

Les policiers ont eux aussi leurs hélicoptères, pour survoler les routes. Cela leur permet de repérer les accidents et les chauffards. Les personnes à bord communiquent avec les services d'urgence et la police à terre pour qu'ils interviennent rapidement.

Les garde-côtes survolent la mer pour patrouiller : ils surveillent les eaux territoriales mais aident aussi les personnes en danger.

U.S. COAST GUARD

L'armée utilise de gros hélicoptères pour transporter ses soldats, de l'équipement ou du ravitaillement.

La plupart de ces appareils ont deux grands rotors, l'un à l'avant et l'autre à l'arrière, situé légèrement plus haut. Cela permet à l'hélicoptère de soulever de très lourdes charges.

068
HYSTER
DS

Les appareils de l'armée sont peints en gris pour être le moins visibles possible dans les airs comme sur terre : c'est le camouflage !

896

D'énormes bateaux – pétroliers ou de l'armée – ont une plateforme d'appontage où se posent les hélicoptères. Les pilotes sont guidés par les signes que leur fait un homme sur le pont afin d'atterrir sans encombre.

Les chaînes de télévision ont leur propre appareil ou en louent un pour emmener rapidement journalistes et cameramen au-dessus des lieux d'un événement important !

KATU PORTLAND
2

Des fermiers font appel à l'hélicoptère pour asperger leurs champs de pesticides et de fertilisants. Vu l'immense surface, c'est bien plus rapide qu'un tracteur !

Appareil intermédiaire entre l'U.L.M. et l'hélicoptère, l'autogire ne peut ni faire de vol stationnaire, ni aller en arrière ! Mais son record de vitesse est de 180 km/h environ !

Les hélicoptères emmènent aussi des touristes pour leur faire visiter les environs : ici, le Grand Canyon et la statue de la Liberté aux États-Unis.

Les hélicoptères sont des engins pratiques car ils peuvent se poser partout… à condition que le sol soit plat. Certains sont tout petits, et ne peuvent accueillir à leur bord que deux personnes. Mais d'autres peuvent contenir plus d'une quinzaine de passagers !

Rotor principal

Il est composé de pales qui se trouvent sur l'appareil à l'horizontale. Le moteur les fait tourner à toute vitesse et c'est ainsi que l'hélicoptère décolle !

Rotor anticouple

C'est l'hélice qui se trouve sur la queue, à la verticale. Cela permet à l'hélicoptère d'être stable. Sans l'anticouple, l'habitacle de l'appareil serait entraîné par la force du rotor principal et ferait des tours sur lui-même !

Roues

Certains hélicoptères ont des roues qui permettent de les garer dans un hangar, une fois leur mission terminée.

Patins

La plupart des appareils possèdent des barres (appelées patins) sous l'appareil pour atterrir. Cela leur permet de se poser sur toutes sortes de terrains : sable, terre, herbe, etc.

Flotteurs

L'hélicoptère est parfois doté de flotteurs qui lui permettent d'amerrir, c'est-à-dire de se poser sur l'eau. Mais, il ne peut le faire que sur des eaux très calmes car sur mer agitée, l'appareil serait très vite retourné par une vague.

Poste de pilotage

Il se trouve dans l'habitacle de l'appareil ; le pilote se sert de tous ces instruments (boutons, leviers, cadrans, pédales) pour manœuvrer l'hélicoptère.

Hélicoptère de sauvetage

En survolant la montagne, l'hélicoptère peut retrouver et sauver les personnes en détresse. S'il ne peut pas atterrir, un homme descend le long d'un câble pour aller les chercher.

Hélicoptère-ambulance

Quand une personne accidentée a besoin de soins urgents et qu'elle ne peut pas être transportée par la route – soit parce que l'hôpital est loin, soit pour des raisons de trafic – cet hélicoptère vient la chercher pour aller plus vite !

Hélicoptère bombardier d'eau

On l'utilise pour éteindre un incendie de forêt. Certains possèdent un réservoir dans l'appareil mais d'autres ont un seau, au bout d'une corde, que l'on peut remplir de 500 litres d'eau.

Hélicoptère de police

Il permet de repérer les chauffards ou les accidents de la route. Les personnes à bord communiquent par radio avec les services d'urgence et la police à terre.

Hélicoptère d'épandage

Il est utilisé par les fermiers qui possèdent de grandes propriétés. On s'en sert pour répandre des pesticides et des fertilisants sur les cultures.

Autogire

Voici un appareil dont on ne se sert que pour le plaisir ! Il vole à basse altitude, permettant ainsi au pilote de profiter du paysage environnant !

REMERCIEMENTS :

Pour l'élaboration de cet ouvrage, nous tenions à remercier Daniel Gilpin, llen Dupont et Colin Woodman.

CRÉDITS PHOTOGRAPHIQUES :

Légende :

t : haut ; b : bas ; af : age fotostock ; DT : Dreamstime ; IA : Ian Armitage ; iSP : iStockphot ; P : Photolibrary ; SST : Shutterstock ; TP : Turbo photo

2 SST; 5 SST; 6 iSP; 8t,b SST; 9 iSP; 10t SST, b TP; 11 SST; 12t iSP, b DT; 13 DT; 14 iSP; 15 iSP; 16 IA; 17 DT; 18 SST; 20 SST; 21t DT, b iSP; 22 iSP; 23t TP, b DT; 24 SST; 26t DT, b iSP; 27 SST; 28t,b DT; 29 SST; 30 DT; 31 iSP; 32 SST; 33t,b SST; 34 SST; 36 SST; 37 SST; 38t,b TP; 39 SST; 40 DT; 42 SST; 43 DT; 44 iSP; 45t DT, b TP; 46t,b TP; 47 TP; 48 iSP; 49t,b TP; 50 P; 52t,b DT; 53 SST; 54 iSP; 55 iSP; 56 DT; 57t,b SST; 58 SST; 59 DT; 60 iSP; 64 SST.